블루
자이언트
BLUEGIANT **4**

**Shinichi ISHIZUKA**

# CONTENTS

한 곡
만이야…

흥….

……

감사
합니다!!

버본
록으로.

마스터.

예.

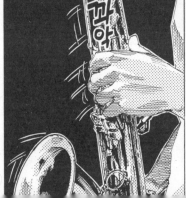

끽
왁

후욱—

때때로 강변에서 나오는 그 감각.

분명.

할 수 있어….

후욱ー

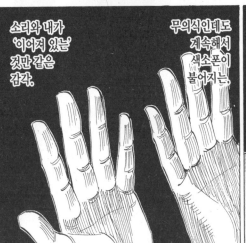

소리와 내가 '이어져 있는' 것만 같은 감각.

무의식인데도 계속해서 색소폰이 불어지는,

멜로디가 자동으로 나와주고,

그다음 소리가 차례대로 나와주고,

그거면…

그 '이어지는' 지점까지 가면…

7

그럼…

어떤 거든 맞춰줄게.

자, 그럼 미야모토. 어떤 거로 할래?

콘서트 키 'C' 로요.

〈체로키〉 를

이 정도 스피드로

그럼… 템포는 어떻게?

인트로 없이 테마부터 대뜸 시작하는 느낌으로 가죠.

그거 좋네.

〈체로키〉 라.

8

오케이 요.

사다! 〈체로키〉 괜찮아? 'C' 로.

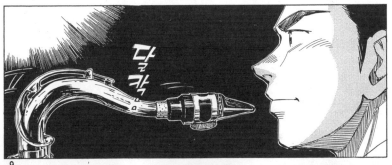

9

소리가 훨씬 더
굵직해졌어…

여름
때보다

우오―!
소리 한번
크고!!

호오…
아주 또렷이
부는데.

오늘은
어떤 솔로를
들려줄
거지?

미야모토…

11

빠

빠

빠

빠

…헹….

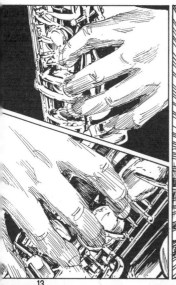

13

유이 씨 밑에서 잘 배웠군.

코드 체인지에 대응하고 있어….

간 떨어지게 해주겠다고? 놀고 있네….

빽빽 시끄럽기만 하구만….

시끄럽 다고….

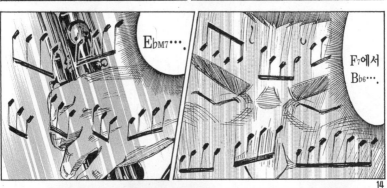

$E_{bM7}$….

$F_7$에서 $B_{b6}$….

14

앞으로 …!! 계속…!!

간다 ….

아니야… 꼭 잇겠어!!

이어 질까 …?

11

15

그런데
이어지지가
않아….

코드는
맞아….

왜
자유롭게
되지 않지?!

왜지
—?

이 속도라면
따라가는
것만 해도
벅차겠어….

…
너무
빨라!!

16

22

미야모토의
라인에…

뭐…
뭐지?!

우와…;

끝내주네.

이거…

끌려가고
있어….

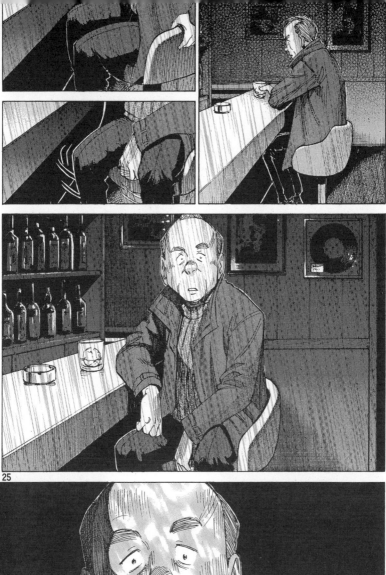

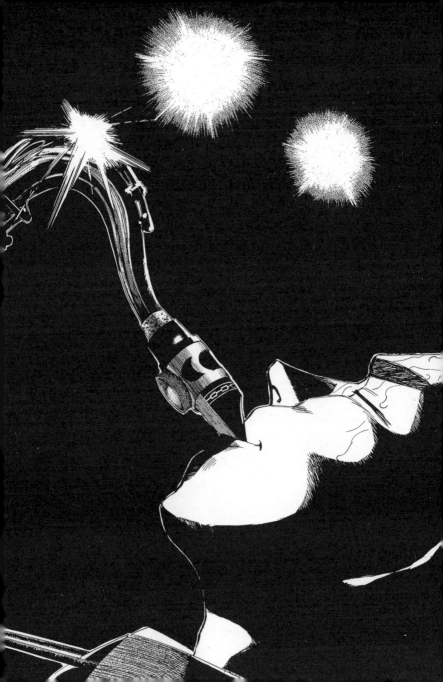

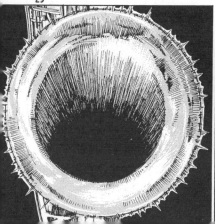

제26화
DON'T
EXPLAIN

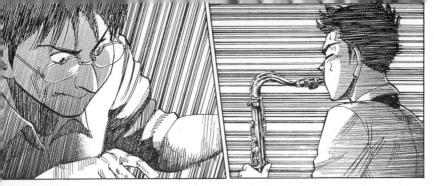

우오오···.

끝내
준다.

33

아아…

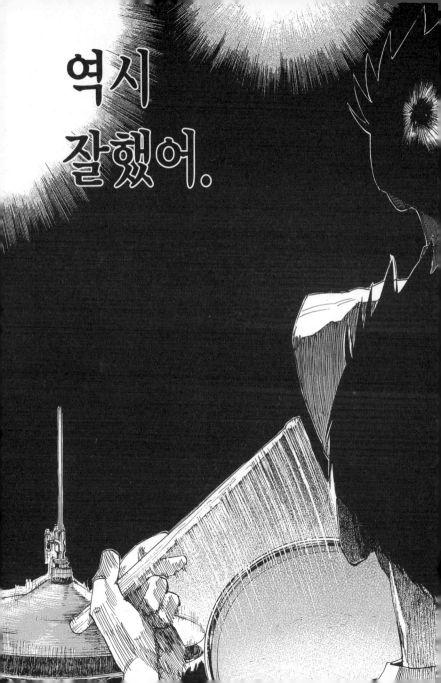

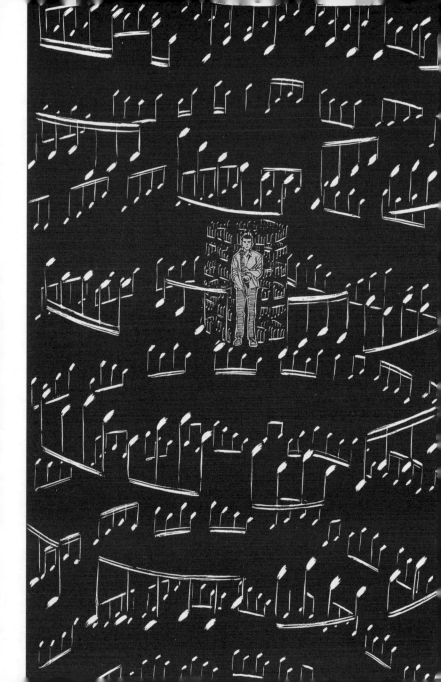

43

YEAH!!!

휴우──…

휘유~…

어때?

와타베…

44

응?

죄송
합니다!!

아
저
씨.

저…

일부러
오시게
해서

꼭
들려드리고
싶어서.

아저씨
한테…

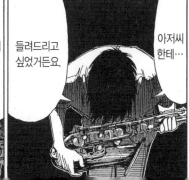

들려드리고
싶었거든요.

아저씨
한테…

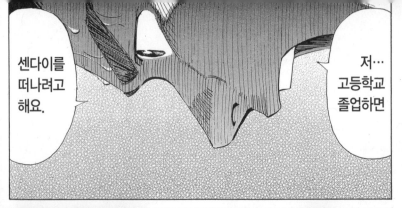

저···
고등학교
졸업하면

센다이를
떠나려고
해요.

재즈 연주자가
되고 싶···
아니, 꼭 그렇게
될 거예요.

센다이를
떠나서···

그래서
오늘
아저씨
한테···

아저씨한테
다시 한 번
들려드리지
않고선 전···

하지만···
그대로는
떠날 수가
없었어요···.

···예?

'내가 졌다' 고
했어.

내가
졌다.

그럼
난 이만.
마스터,
달아두쇼.

따
르
랑.

47

끄
응.

감사
합니다!!

으~...
춥다.

그게
문제라니까
….

하여간
너란
녀석은
…

맛있
나요?

술이 그렇게
매일
마실 만큼

술이
확 깨네.

바보 같이
솔직
하다고나
할까….

순해
빠졌다고나
할까.

예?

음―…

오늘 연주,
넌
어땠냐니까?

?
…뭐가요?

그래…
좀
어떻든?

제가 알고 있는
좁은 범위
내에서밖에
만들어내지
못하는데요….

제가 현재
솔로라고 생각하고
부는 건
제가 연습해온
멜로디나 프레이즈
가운데서…

아.

호오…

그러고 보니
솔로 도중
깨달은 게
있어요….

50

잔〰〰뜩
있더라고요.
그러니까
다시 말해,

아직
한참…

근데 제가
연주해본 적
없는
멜로디나
프레이즈
같은 게

'한참 더 갈 수 있다'는 느낌이 잔뜩 들더라고요.

전 아직 더 할 수 있다고…

오.

……………

내 얘긴 완전 무시—….

자판기 발견.

사부님은요?

어디 보자…….

아… 예.

이런, 동전이 없잖아…. 다이, 네가 좀 쏴라.

어떠셨어요? 오늘 제 연주.

응?

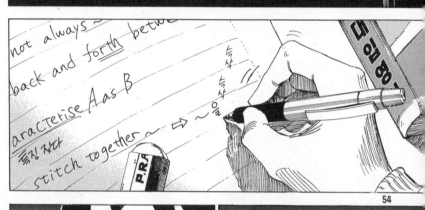

not always~
back and forth betw[e]
[a]racterise A as B
stitch together ~ ⇒ ~
P.R.[A]

77.1 FM

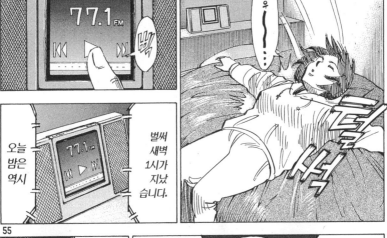

오늘
밤은
역시

벌써
새벽
1시가
지났
습니다.

난
자요~….

마키하라
노리유키,
<언제 어느
때라도>.

그럼 열심히
공부 중인
여러분께
한곡 보내
드리겠습니다.

하하하…
타이밍 참….

열심히
공부 중인
수험생
여러분도
많이들 듣고
계시겠죠~…?

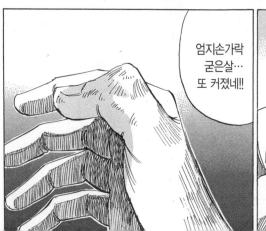

엄지손가락
굳은살…
또 커졌네!!!

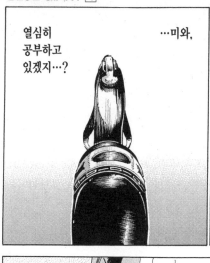

…미와,

열심히
공부하고
있겠지…?

※존이나
뭐 그런
사람들도
다 이랬나?

신기하다
니까~….

※존 콜트레인

달
칵

다음 주면
본 시험….

센터
시험이
끝나고

지금은
방해하면
큰일 나.

방해하면
안 돼.

후우…

그때 그 고양이…

…그믐날…

똑바로….

한결같이…

한눈팔지 않고…

걔는 한결같이

하는 건가…?

똑바로 앞으로 나아가야만…

으~
너무
마셨어….

…화장실.

59

열심히
불어~….

열심히
부는군~….

새벽 3시가
다 되도록….

짹짹 짹

둥둥둥

호록

아이카
—!
밥
먹어
—!

네,
다녀오세요.

설거지도
좀
부탁하마.

잘
먹었다
—
다이.

야,
아야카!
너 지각
하겠다!

NEW

하암~
철야는 역시
힘들다니까~….

참 내~.

나
간다.

NEW YORK
7

응?

추워
….

오빠…

얼른!

으~음….

…
추워….

머리
아프고…
토할 것
같아….

주…
죽겠어
….

완전 펄펄
끓잖아!

어디
보자.

너…
웬 열이.

으악.

예, 열이 펄펄 끓어서 오늘은 쉬어야 할 것 같네요.

…예, 바로 병원 데려가겠습니다.

자!! 따뜻하게 입고 병원 가자!!

으…으…응….

학교에 연락 오케이!!

달칵

오빠…

가자, 가자!!

그래― 그래―.

나 토할 것 같아….

끄…
으응.

날씨
좋다
….

점심은?

도서관
갔다
올게요
—.

됐어요
—.

하긴
입시철이었지….

벌써
만원이네….

으악.

인플루엔자 군요.

나으려면 좀 걸릴 것 같습니다.

예.

열방까지 걸을 수 있겠니?

인플루엔자?

예. 안녕히 가세요.

감사합니다!

정말

옳지 않게.

오빠분도 마스크 쓰시는 게 좋을 겁니다.

64

약을 처방해 드리죠.

아무튼 안정이 필수입니다.

예. 예에.

예, 밀크티 하나—.

밀크티 하나 주세요.

MANOB로 coffee

Coffee

공부해 볼까.

자, 그럼…

삐

아야카, 뒤로 업을게.

으~ 걷기 너무 힘들어….

…예. 내일 뵙겠습니다!!

그래서 저 오늘 레슨은 못 가겠는데요.

어라라.

동생이…?

예!!

※1 사츠마-초슈 동맹.　※2 주일 영국 공사, 해리 스미스 파크스.

다이!!! 미야모토

아.

응?

나 금방 나갈게!

잠깐만 기다려!

미와…

?

안 돼 안 돼 안 돼!!

하하하하…

하하…

슈퍼 울트라 인플루엔자?!

아니, 그러니까 얘가 지금 슈퍼 울트라 인플루엔자라니까!!

절대 나오면 안 돼—!!

우리 동생 인플루엔쟈 야!!

뭐?!

응?

68

아무튼!
미와 넌
공부...

이

히

임

심

어

열

입시 끝나면
연락할게!!
그럼 간다!!

애.

해!

가버렸어….

뭐냐고!! '어임이애'가…

갑자기 나타나서는…

흥!! 이다.

뭐냐~ 이게 대체.

흥위이오우

오빠….

이게 뭔 꼴이냔 말이야!!

그 언니…

응?!

누구야 …?

다 봤군…

누구야 …?

진짜 아무도 아냐!!

아무도 아냐!!

기합이 말이야!!

기합이 모자라, 아야카 넌!!

지금쯤 난 말이야, 너…!

네가 인플루엔자만 아니었더라도

그깟 인플루엔자나 걸리고 말이야….

참 내~….

72

으아아아앙!!

미안해 애애애애!!

아빠랑… 작은 오빠랑 다 바쁘단 거 알아….

아야카도 이제 중학생 이니까…

흐윽쩌…

흐윽쩌…

울고 그래, 너….

하하… 야, 뭘 그렇게…

아야아아

73

· · · · · · ·

흐윽쩌…

알았어!! 알았으니까 그만 울어….

그런데… 그런데 아파서 미안해….

마사 형이었으면

절대 나처럼 짜증 안 냈을 텐데….

휴우~….

이것밖에 안 되나…? 나란 자식은.

고마워….

이것밖에 안 되나…?

아야카한테는 엄마야….

응?

74

작은 오빠도…

큰 오빠도

오빠가 두 명 있습니다.

아야카한테는

다정하고 멋진 오빠 입니다.

큰 오빠는 공장에서 일합니다.

작은 오빠는….

안 돼 안 돼 안 돼.

치사해! 아야카 차례잖아!

아야카는 큰 오빠가 너무너무 좋습니다.

후ㅡ…!

제28화
MOVE

춥다.

202
미야모토

밤중에
미안,
형.

다이…

예…

그래…?

뭐 좀 마실래? 맥주 있어.

아냐…. 난 됐어.

…있잖아.

응?

뭔데?

뭔 얘기를 하러 온 거야?

이 밤중에 예까지

82

도쿄에 가고 싶어…

나…

형…

하지만 문제는 아야카겠지.

나나 아버지는 그렇다고 쳐.

아야카는 걱정 마.

다이, 일요일에 다들 모이자.

나도 아야카 생각을 하면…

응…

나한테 맡겨.

아야카 는…

아짱은 오빠가 두 명 있지?

응, 있어.

히로세제3초등학교

무지 좋지?

오빠,

응?

브라콘?

그럼 ※브라콘 이네.

※브라더 콤플렉스.

응? 다른 오빠는 안 좋아?

난 큰 오빠한테 시집갈 거다?

큰 오빠는 무지무지 좋아.

으―음, 글쎄…?

하나도―! 가끔은 콱 죽어버리면 좋겠어.

하지만 다른 오빠는 아냐.

역시 브라콘 이네~.

아 하 하 하.

뱅이뱅이

구부정하게 그러고 다니면 인기 없다.

쭉 펴고 걸어, 쭉.

아야카.

낑

음… 잘 들어, 아야카.

부웅

왜 데리러 와줬어?

큰 오빠 ♡

와아~

타. 타.

난 쭈——욱 센다이에 있을 거야.

오빠는 센다이에 있을 거야.

뭔데?

다이는

도쿄에 갈 거야.

하지만 다이는 센다이를 떠날 거야.

응…?

·········

아야카 너라면… 할 수 있지?

부우웅

·········

계속 네 뒷바라지를 해준 소중한 오빠야.

다이를 응원해 주자.

이제 곧 중학생 이잖아?

'*프리지안' 이랑 '*믹솔리디안' 이 거꾸로잖아!! 거꾸로!!

그게 아니 라니까 —!!

※ 모드의 명칭.

아니 사흘도 못 버틸 거다!!

이렇게 어설픈 실력으로는 도쿄에 가봤자 일주일,

88

예~~~?!

또 실패하면 평생 센다이다.

다시 한 번 갈게요!! 다시 한 번!!

예 에엡!!

BLUE GIANT 4

89

그래—

가족 회의를 하고 싶다니 너….

다들 모아 놓고

무슨 일이냐, 다이?

고등학교 졸업하면 나…

도쿄에 가고 싶어요.

…바보.

음~….

어쩔 거냐?

그때까지 드는 돈이랑 방은,

아무것도 정해진 게 없어서요.

음~ 지금은,

도쿄 같은 덴 못 가.

방이나 돈이 없으면…

아야카… 초등학교 6학년이지만 다 알아….

응?

금방 돌아올 거야.

그런 건 거기 가서 알바로….

92

어디 들어보자.

어차피 금방 돌아올 거야….

작은 오빠는 바보니까,

한번
들어보자.
네 색소폰을.

다이,
난 아직 네가
색소폰
부는 걸
들어본 적
없어.

바보 오빠의
연주를 들어보고
얘기하는 거야.

?

슬슬
우리도
들어봐도.

괜찮지?

나도,

나도
들어보고
싶구나.

괜찮아요?!
진짜…

진짜 여기서 불어도 괜찮은 거예요?!

그래, 마음껏 불어봐라.

그럼 〈타임워즈〉로 할게요.

94

마음껏…

돌아오지
않을 거란
걸.

이제

오빠는 이제
돌아오지
않을 거란
걸.

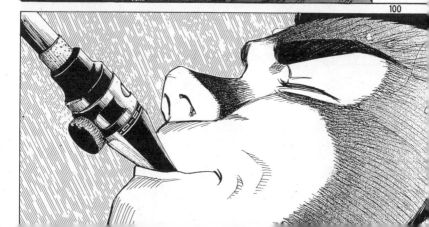

제**29**화
ACT
NATURAL

법학부 합격자

3712
3713
3718
3720
3721
3722

키타센 대학 법학부

| 수험 번호 | 3715 |
| --- | --- |
| 이름 | 오노 타이즈 |
| 한자 | 小野泰三 |

발표일 당일은 시험장
에 대해서는 수험생 본
고, 합격 여부 발표로

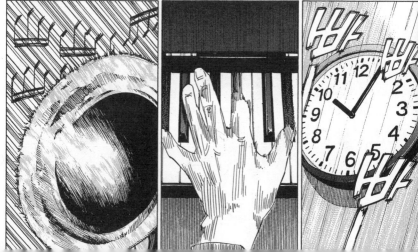

예!!

으읏

아…

좋아, 그럼 다음 레슨 때 계속하자…

내 레슨은 다음이 마지막이다. 알았지?

그러냐, 그럼…

정했냐?

너… 도쿄 가는 날,

졸업식 다음날 이요…

예.

잘 부탁드려요!!

다음 레슨도…

…예.

2시간도 넘게
계속
불었어….

그녀석…

난.

이제
됐어….

으~
춥다.

난…
많이
늘었어.

사부님이랑
만난 지도
반 년…

많이
늘었어.

혼자 불던
때보다
훨씬

사부님에
비하면
아직 한참…
못 미쳐.

하지만…
악보를 읽는
실력도,
색소폰 기술도,

난…
과연
잘 해나갈 수
있을까…?

센다이를
떠나서…
사부님 밑을
떠나서…

타이조

제목 없음

떨어졌어…

에효~.

수신 1

타이조

왜 이렇게 늦게 와, 타이조!

안녕—.

주말—

왔다, 왔어.

나중에 합류 하겠다더라.

레슨이 있어서 늦는대.

다이 말인데 …

좋아, 그럼 다이만 오면 되나?

가자, 가!!

뭐, 어때!!

그 자식— 끝까지 제멋대로라니까!!

건배 ———!!

입시!! 다들 고생 많았다 ——!!

자, 그럼!

그러니 오늘은…

난 진짜… 아무렇지 않아!!

신경 쓰지 마.

…타이조.

마시자, 마셔!!

다들 합격 축하해 ——!!

저~ 사부님, 마지막 레슨은….

응?

뭐, 괜찮아. 오늘쯤.

잔.

색소폰 안 불어도?

괜찮나요?

모듬회 2인분요.

맥주 나왔습니다—.

꿀꺽 꿀꺽

쪄얍

아….

한 잔 주라.

예!

한 잔 더.

휴우ー.

·············

예?

·············

재즈….

피아노를 배우고, 음대에 가고, 유학까지 다녀왔어….

그래서 그런지 나도 어렸을 때부터 색소폰 연주자가 되고 싶었지.

우리 아버지가 워낙 재즈를 좋아하셨거든.

신나게 불었어….

뭐— 신나게 불었지, 그때는.

그리고 또 불었어.

그때는…

또 불고

불고…

거시기에 털이 나기도 전부터 불기 시작해서

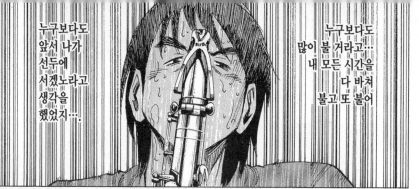

누구보다도 앞서 나가 선두에 서겠노라고 생각을 했었지….

누구보다도 많이 불 거라고… 내 모든 시간을 다 바쳐 불고 또 불어

어떤 포인트 이상으로는 도저히 나아갈 수가 없더군….

하지만 정신을 차리고 보니 어느덧 입가에 수염이 날 나이가 다 됐지만

115

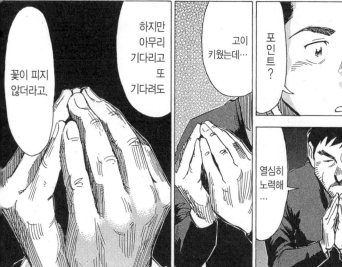

하지만 아무리 기다리고 또 기다려도

꽃이 피지 않더라고.

고이 키웠는데…

포인트?

……….

열심히 노력해…

싹이 튼 걸…

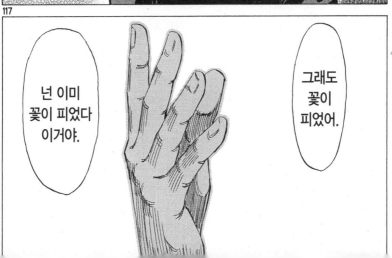

예?

다이,
고맙다.

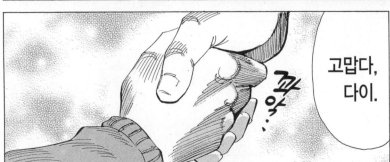

고맙다,
다이.

난 약간이나마
다시 재즈가
좋아졌단다.

네
덕분에

119

가라오케 본점
마네키네코
가라오케 4층

다들
늦어서
미안!!

미안,
미안!!

와!

왜 이렇게
늦게 와,
짜샤―!!

타이조가
뻗었잖아!!

네가 너무
늦게 오는
바람에
봐 봐!!

121

응, 졸업식 날—!!

졸업식 날 봐—.

그럼 다이!!! 타이조 좀 부탁한다!!

야, 똑바로 걸어!!

우욱~...

비틀

떨어졌잖아, 나….

아니 그게 …

미안…

괜찮아, 괜찮아.

바보, 뭔 소리야.

미안…

뭐어?

재수생이라는 건 말야, 아무것도 아냐.

그거 알아, 다이?

있잖아…

아무것도 아닌 놈을 가리키는 거야~….

학생도… 사회인도… 알바생도…

하지만 나나 너나 지지 않아.

나도 지금은 아무것도 아냐.

나도야.

?

오우예 에에~!!

보시라 이 솜씨, 아예 프로로 나가 봐?!

음… 으~음…

… 맛있어….

좀 어때? 괜찮아?!

아침밥 딱 맞췄네!!

오, 타마다, 나이스 타이밍.

아싸!!

다행이다, 다행—

부부냐?!

암만 친구라도 난 너랑 그럴 일은 절대 없다고!!

그럴 일은 절대 없거든. 다이!!

부부가 아니면 뭐, 애인?!

응?

같이 아침밥 이라니…

밥 하는 소리에 눈 떠서,

126

알았어— 알았어—!!

난 뭐 때문에 센다이를…

그런데… 그런데 우중충하게 너랑 매일매일 함께라니…

눈앞이 아찔해지는 꽃으로 가득한 캠퍼스 라이프… 그래, 플라워 캠퍼스.

내가 원하는 건 자유, 그리고 여자야.

진짜로?

오늘은 꼭 방을 찾을게!!

오늘은 찾을게!

진짜로 찾을게!!

예스!!

나 나간다.

그럼.

**좋아, 다이!! 약속!!**

그것도 오늘 찾을게!

알바는!

못 믿어~…

말은 그렇게 해놓고 벌써 열흘이나 얹혀살고 있으면서…

127

꼭 찾을 거야!!

진짜,

거짓말…

타앙

으쩌

딸 각

다녀 올게─.

**남자의 약속을 해!! 짜샤!!**

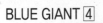

어젠 추오구를 돌아봤으니까….

어디 보자….

당 당

오늘은 메구로구랑 에도가와구를 공략해보자.

좋아.

자!!

철커 덕

붕! 붕!

출발!!

제**30**화
RIVER-
WIDE

우와ー….

※ 센다이 방언으로, '대뜸'에는 '엄청나게'라는 뜻이 포함되어 있다.

높다!

※대뜸

6만 엔은
완전
무리잖아…

우와~…
비싸!

으악~
점점 더
무리야.

무리 무리
무리
무리…

설마 설마
설마…

아냐
아냐
…

133

벌써 시간이 이렇게 됐네.

에도가와구 쪽은 아직 못 봤는데

공원…

불다 갈까?

이봐!!

자네!!

...앗.

135

'공원에서 무슨 시끄러운 소리가 난다'고….

아파트 주민의 신고를 받고 왔어.

안 되지, 이런 데서 그런 걸 불면.

있는 걸까.

…어디에

도쿄에 왔는데 이래선…

이래선… 안 되잖아….

136

나가요바시 다리…라고 읽나?

※ 실제론 '에이타이바시'라고 읽는다.

137

싫어.

작별할 거니까 그러는 거지?

이제 안 만날 거니까,

작별 기념.

난 그런 게...

아니... 그게,

나랑...

......

!!

조사해 봤어.

나...

... 무슨.

......

※ 아키타 방언으로 "그럼 멀어서 못 가. 쓸쓸하지만 어쩔 수 없어."라는 뜻.

토자네켄도 쇼가사에네.

※헤바토 기쿠테 이게네.

360km 떨어져 있더라.

도쿄랑 센다이는

4도.

평균 기온 차는

18분….

360km….

나 왔어.

으악…

술 냄새.

다… 다이….

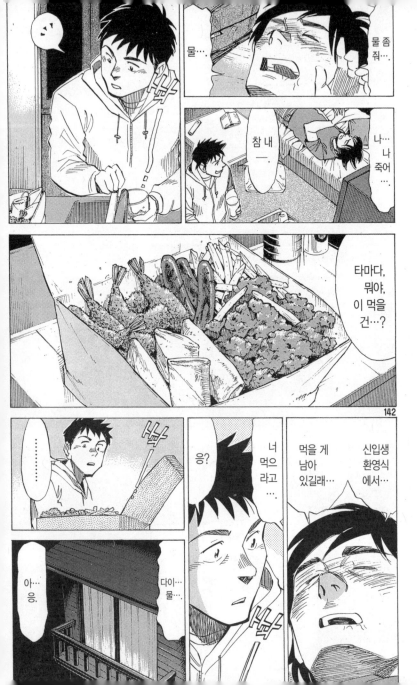

142

들꿀
들꿀
으물

넌

네 나름의
도쿄 생활을 위해
도쿄에 온 건데
말이야….

들꿀
들꿀

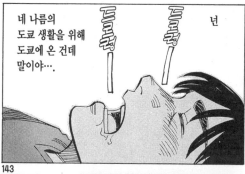

타마다.

미안
…

…
…
…

철컹

찰
칵

찾아보고
오자…

좀 더…

23:49

졸업

아오바제2

20

미야모토.

그게요.

내일…
저녁에
가요.

도쿄엔
언제
가니?

쿠로키
선생님!!
감사합니다!!

졸업
축하
한다.

미야모토 너한테 부탁이 있는데…

선생님이 있지.

…색지?

저한테요?

…?

…?

미야모토 네 사인 좀 해주겠니?

이거면… 될까요?

색지 이거 비싼 거 아녜요? 아하하~….

하하~…. 진짜요?

제31화
MONEY

으응….

그럼~
타마다.

젠자아아앙~!!

스낵

마작
런던

150

요즘은
계속
재수가
없어.

재수
더럽게
없네~.

내리
졌어~.

으악,
동전밖에
안 남았
잖아….

에잇!!

그 가난뱅이신
같은
자식 때문이
분명해!

내 방에
있어.

내가
이렇게
재수가 없는
원인은
분명…

파치
투김

깡

까앙

꽈악

왔어?

오.

달칵

탁

탁

탁

야, 다이.

진짜 진짜 잘 먹었어!!

짜악

좀 먹었다.

밥...

우물 우물

151

오늘은 빡준다.

데헷

갔다 올게.

그럼,

으응.

...살았다.

맞다—!!

대체 언제까지 내 방...

너...

몇 푼 안 돼서 미안!!

미안, 타마다!! 여기 생활비!!

남은 돈이 달랑 3천 엔이란 건 뼈 아픈걸—.

타마다한테 2만 엔을 준 것까진 좋은데…

콰앙

부우웅

이거~.

삥

뭐야, 저건?

하~….

152

비싸게 생긴 외제차들이 많네~.

어째…

부웅

어라라.

부우웅

와아아.

우와!

154

거 참~
그건
그렇고

아주 좋은 데를 찾았다니까.

24시간 불어도…

여기라면 하루 종일…

않는 건 아니네.

아무도 오지…

※국악회 다녀가시다.

아냐 아냐!! 지면 안 돼, 나도 참!!

· · · · · ·

거의 맨밥만 먹었으니까…

계속…

면접까지 아직 시간이 좀 있네…

삒삒

하~ 사방이 온통 양복 차림이잖아…

新橋駅 SHIMBASHI STATION

뚜뚜 쿵

156

일해서 돈을 벌고 있겠지…

다들…

웅성 웅성 웅성 웅성

빠듯해~.

리드 3개.

감사합니다

노야마악기

1260엔 되겠습니다.

으아… 배에서 재즈가…

남은 돈은 ….

완전 거덜 났네…

윽…

음식점에선… 처음입니다.

그러면 음식점에서는 아르바이트를?

스시 만자이
SUSHIMANZAI

저기요… 저…

그럼 귀한 시간 감사합니다.

결과는 다음 주 안에 전화로 알려드리겠습니다. 채용이 되지 않았을 경우 이력서도 반송해야 하니까요.

알겠습니다.

이상한 질문인 줄은 저도 알지만…

그… 만약, 만약 채용될 경우…

예?

30일 뒤라니… 엎친 데 덮친 꼴이네. 역시 그것뿐인가…? 일용직.

투덕 투덕 투덕

끼익 끼익

첫 아르바이트 비는 언제 나오나요?

158

응?

실룩 실룩

안 돼 안 돼!! 배가 고파서 내가 지금 제정신이 아냐!!

뻥!!

완전 재즈라도 하듯…

엉덩이가…

끼익 끼익 끼익

159

후르륵

아.

라멘
나왔
습니다.

꿀꺽...

라멘 너무
맛있어~.

맛있다
~.

후르륵

· · · · · · · · ·

아무데도
들어가지
못해….

하지만
난…

차슈
먹고
싶다….

도쿄의
현실은…
냉엄하구나.

예,
그야 물론.
내일부터요?
알겠습니다.

채용요?!
가,
감사합니다!!

예,
미야모토
입니다.

예!!

으... 배고파.

아싸—!!

OFF

아랫배에
한 방
먹여줬단 거
아냐

우리 구역에서,

※ 극악회 다녀가시다.

에…

에에에엥?!

너 지금 말이야!!

뭐 하고 있냐고!!

164

섹스가 아냐. 색소폰. 악기 말이야, 멍청아.

멍청아.

섹스는 무슨 얼어 죽을!!

어디서 뻥을 쳐!!

아앙?!

저~ 여기서 색소…

너 방금 진짜로 한 소리지?

그거….

아….

너, 잘 불어—!!

잘 부네—!!

165

배고파…

아~.

그래도 덕분에 색소폰 한번 실컷 불었네~.

색소폰 때문이지만

그건 그렇고… 다른 일도 찾아야.

거 참~ 별 사람들이 다 있네~.

우와…
풍경 한번
죽인다….

역시
도쿄
라니까.

끽! 끽!

뜨뜨
끼끼

여기서
불자!

난 죽어라
새소품만
불어야지
했지만….

센다이를
떠날 때는
밥 따위
못 챙겨
먹는 한이
있더라도

돈이
없단 건…
만만치가
않아.

만만치가
않네.

참 내,
과장님 노래만
계속 듣는 것도
고역
이라니까….

!

무슨
소리
안
들려?

안
들려?

이봐….

저쪽
에서

응?

가까이
오잖아?!

나…
난가?!

색소폰
부는
친구—!!

이봐
—!!

!!

왜
그러
세요
—!!

예!!

170

어디
보자—!!
허비의
〈처녀항해〉는
어때?!

뭐로
하죠
—?!

뭔가 한 곡!!

좀 뽑아 봐—!!

좋아…!!

예!!

이거야
아아아
~!

크~!

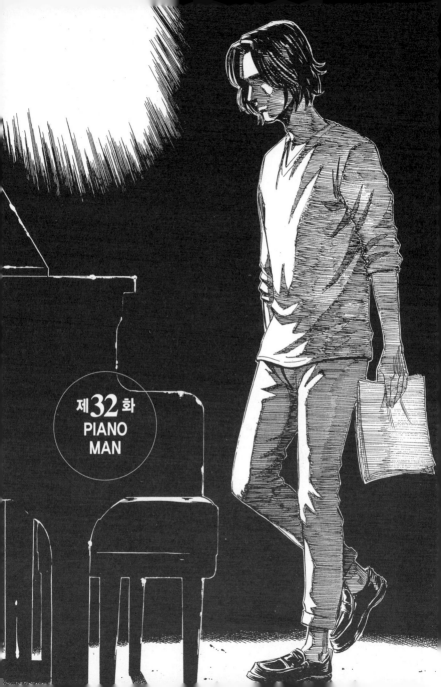

제32화
PIANO
MAN

어서
오십쇼
—!!

손님
네 분!!

카운터 석이랑
테이블 석
어디로 안내해
드릴까요!!

테이블
석으로.

오셨습니다
—!!

손님
네 분!!

이리
앉으세요
—!!

SUSHI MANZAI

예.

아, 저기요.

병맥주랑 생 자몽 사와 나왔습니다!!

이거 좀 짜주실 수 있나요?

빠라 빠 빠 빠 빠 빠 빠

빠라 빠 빠 빠라 빠 빠

그럼요.

됐으니까 얼른 줘요~.

빠 빠 빠라 빠 빠 빠라 빠♪

아주 잘!!

아주 잘 짜졌습니다~.

오늘도 현장 일이 있어요.

예.

미야모토, 오늘도 끝나고 바로 두 탕째 뛰러 가?

수고 하셨습니다 ―!!

참 빡세네 ~....

아무리 먹고 살자고 하는 짓이라지만 ....

이게 다 재즈를 위한 건데요!!

뭘요.

이봐― 알바생!!

예!!

여기 이것도 좀

전부 밑으로 내려줘—!

알겠습니다!

예!

으라차!!

하나—둘…

끄…응.

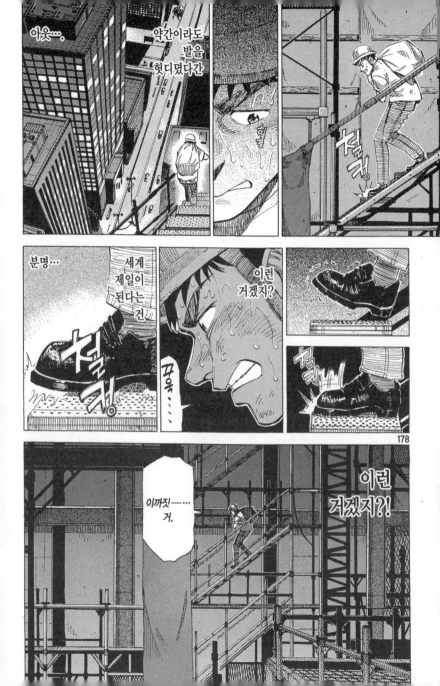

아오바
제2고등학교
농구부
에이스도
많이
녹슬었네
~....

크~
쑤신다
....

응.

수고
하셨
습니다!!

아냐 아냐
아냐 아냐.

2:36

돌아갈까...

후읍

179

캬오오

!!!!

리드는…
아무렇지도
않은데.

─엥?!

어어?!
이거…
나사가
없어졌잖아!

푹푹
들어가잖아
…?

응…?

뭐지
뭐지
뭐지?!

뭐지?

네 색소폰, 수리 좀 해야겠더라. 얼른 갖다 맡기고 조정해둬라.

그리고 보니까 사부님 왈….

여기저기가 남아 빠졌어….

잘 보니까 금속 부분도…. 코르크도….

열심히 부는 게

소중히 다루는 건 줄 알았는데….

미안.

색소폰 아….

소중한 건

소중히 다뤄야 하는 거구나.

꽉

우와~.
이거,
패드도 전부
갈아야겠네…

예에…

그,
그렇게
오래
걸리
나요?

이…일주일?

노야마악기

관악기
코너

소리가
하나도
안 났을
텐데.

이런 걸로
용케
부셨군요.

네…?

수리비는
어디 보자…
6만에서
7만 엔쯤
나오겠군요.

…………

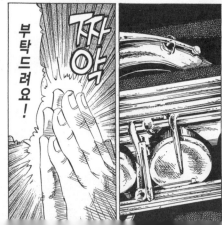

부탁드려요!

쫘악

오버홀까지
하자면
아무래도….

그렇게
많이요?

182

부탁드려요!

하루라도!
한 시간이라도
빨리 어떻게든…
꼭 좀!

색소폰이….

없어졌어.

가벼
워….

꾸욱…

좋았어.

내가 할 수
있는 것….

비가 와서
해체·알바도
없고….

기념비적인
첫 가게는

여기로
하자.

아무도…
없잖아?

계세요
—.

마운드,
자이언츠
스기우치…

딸
랑

에잇!

어쩐
지…

꾹

두근두근
해!

184

음료는
어떤
걸로?

라이
브는요?

제4구…
던졌
습니다!

저…

아…

어서
와요.

…예.

아…
있네.

아… 전…

그럼… 우롱차로요.

여기요,

센터 앞쪽으로 쳤습니다—!

감사합니다.

꾸 꾸 꾸

등

술이 섞여 있잖아….

으악… 이 우롱차,

오늘은… 혹시 재즈는…?

저…

마운드 위 스기우치에게…

…밤,

갈보는 건가?!

오늘은

없는데.

좋아하시나?

글렀다, 글렀어. 딴데 가자.

예?

· · · · ·

좋아하시나?

재즈,

…이 합꽝구~….

좋아
합니다,
재즈.

8회
공격으로
자이언츠
는…

예.

괜찮으
신가?

레코드
라도

예에…
부슬부슬
…

밖에 아직
비가?

라이브가
좋지만….

예?
아…
예, 예에.

188

꽤…
이거
제법…

박력
있잖아!!

우오!

방금
그 멜로디
진짜
끝내줘!

오오~…
끝내준다!

나이스
솔로!

우오~오.

아시
나?

소니.

끝내
주네요…

그거야!

크으~….

예에
예?

예…

카~….

소니 스티트도. 끝내주네요.

이 앨범은 들어본 적 없지만…

소니 스티트 맞죠?

이거, 소니는 소니지만….

………

캬아아아~ 끝내준다ー!

뺘 뺘뺘 아 땅 땅

으~음!

찌익

오늘 같은 곡이네요.

어째 꼭…

190

오늘 날씨 같은…

여긴 오늘도 하니까.

여기 한번 가 봐.

……?

라이브가 듣고 싶다고 그랬지…?

젊은 친구….

잘 마셨습니다!

또 오겠습니다!

그럼

아….

JaZZ SP
251
Tel 03-

감사 합니다!

191

내가 날씨에 맞춰 앨범을 고른 걸.

어떻게 알았담…?

192

어?

193

다음 권에 계속

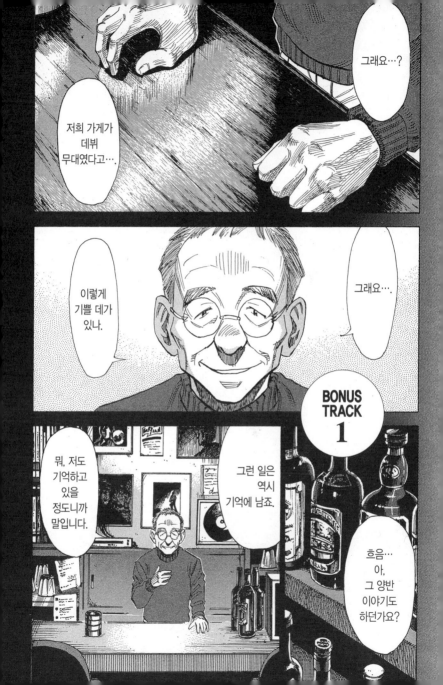

가끔씩 가게에 왔었죠.

그 양반은 그 친구가 도쿄로 가버린 뒤로도

사토 씨라고 하는데,

뭐 미워할 수는 없는 양반이었는데요.

술 좋아하고, 여자 좋아하고, 또 묘한 외고집이 있긴 해도

그러다 발길을 끊은 지도 꽤 됐다 싶던 어느 날 불쑥 딱 한 번 나타나 한잔하고 간 적이 있는데.

그런데… 언제부터였는지 갑자기 사토 씨가 가게에 발길을 끊었죠….

버럭 성질을 냈던 그날 밤 얘기도, 그 뒤 그 친구 연주에 한 방 먹었던 그날 밤 얘기도…

일절 얘길 안 하더라고요. 그 친구에 관해선.

아니
세 번쯤
만났나…?

고등학교를
졸업한 뒤로는
글쎄요…
두 번…?

그것도
뭐 벌써
2년
전이지만요.

마지막으로
만난 건
제 결혼식
때였죠,
아마.

그랬더니
다들 합창을
시작하는 통에….
뭐 그건 그렇다 쳐도
교가를
기억하고 있다가
즉석에서 연주한 건
놀라웠죠.

결혼식인데
저희 고교 시절
교가를
불었거든요.

그것까진
좋았는데
친구 녀석들이
몰려들어
완전히 난장판이
돼버렸지 뭡니까.

예,
색소폰을
불어줬죠.

우설 거리

그 녀석도 바빠서 시간이 없었는지 '딱 한 마디만 하러 왔어.' 라더군요….

그때도 와줬죠.

재수생이었던 제가 재수에도 실패했을 때….

도쿄로 떠난 뒤 처음 만난 건

라면서 악수를….

'넌 반드시 괜찮을 거야.'

아, 그것도 역에서였답니다.

※센다이 역

내가 어떻게든 해볼게.

알았어.

라고 하는 H군.

고민 하는데

누가 사보겠다고 안 하려나…

그냥 시험 삼아 써보기에는 저희 형편에 선뜻 손이 가는 물건이 아니라…

두 자루에 8천 엔 이라는 고가 였습니다.

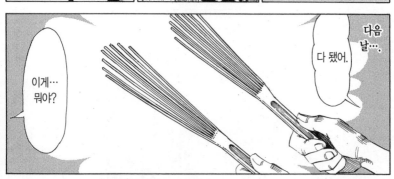

이게… 뭐야?

다 됐어.

다음 날….

옛날 이야기입니다.

바오 벌레가… 기어 다니는 소리 같다 야….

어때… 비슷하지 않냐?

4권을 읽어주셔서 감사합니다!! 더욱 더 열심히 하겠습니다!!

종이를 뜯어내고…

부채에서

불에 쬐고 구부려 이렇게 이렇게….

영 코믹스

# BLUE GIANT 4

2017년 4월 30일 초판 발행 · 2024년 11월 5일 4쇄 발행

저자 ········ Shinichi ISHIZUKA

번 역 : 김동욱          발행인 : 황민호
콘텐츠1사업본부장 : 이봉석
책임편집 : 장숙희/김정택
발행처 : 대원씨아이(주)
서울특별시 용산구 한강대로 15길 9-12 전화 : 2071-2000  FAX : 797-1023
1992년 5월 11일 등록 제1992-000026호

BLUE GIANT Vol.4
by Shinichi ISHIZUKA
© 2013 Shinichi ISHIZUKA
All rights reserved.
Original Japanese edition published by SHOGAKUKAN.
Korean translation rights in Korea arranged with SHOGAKUKAN
through International Buyers Agent Ltd.

ISBN 979-11-334-4672-8 07830
ISBN 979-11-5754-065-5 (세트)

· 이 작품은 저작권법에 의해 보호를 받으며 본사의 허가 없이 복제 및 스캔 등을 이용한
  무단 전재 및 유포·공유의 행위를 할 경우 그에 상응하는 법적 제재를 받게 됨을 알려드립니다.
· 잘못 만들어진 책은 구입하신 곳에서 교환해 드립니다.
· 문의 : 영업 2071-2075 / 편집 2071-2026